探险记

英国 Vampire Squid Productions 有限公司 / 著绘　海豚传媒 / 编译

海马传说

长江出版传媒 | 长江少年儿童出版社

图书在版编目（CIP）数据

海马传说 / 英国 Vampire Squid Productions 有限公司著绘；海豚传媒编译．-- 武汉：长江少年儿童出版社，2015.10
（海底小纵队探险记）
ISBN 978-7-5560-3311-9

Ⅰ．①海… Ⅱ．①英… ②海… Ⅲ．①儿童文学－图画故事－英国－现代 Ⅳ．①I561.85

中国版本图书馆 CIP 数据核字（2015）第 209630 号
著作权合同登记号：图字 17-2015-212

海马传说

英国Vampire Squid Productions有限公司 / 著绘
海豚传媒 / 编译
责任编辑 / 傅一新　佟　一
装帧设计 / 钮　灵　美术编辑 / 梅　培
出版发行 / 长江少年儿童出版社
经　　销 / 全国新华书店
印　　刷 / 深圳市星嘉艺纸艺有限公司
开　　本 / 889×1194　1/20　5印张
版　　次 / 2015年10月第1版第1次印刷
书　　号 / ISBN 978-7-5560-3311-9
定　　价 / 16.80元

策　　划 / 海豚传媒股份有限公司（15111821）
网　　址 / www.dolphinmedia.cn　　邮　　箱 / dolphinmedia@vip.163.com
咨询热线 / 027-87398305　　销售热线 / 027-87396822
海豚传媒常年法律顾问 / 湖北珞珈律师事务所　王清　027-68754966-227

生命因探索而精彩

这是一部昭示生命美学与生态和谐的海洋童话，
这是一首承载生活教育与生存哲学的梦幻诗篇。
神秘浩瀚的海底世界，
能让孩子窥见物种诞生和四季交替，感受大自然生生不息的美感与力度；
引导他们关爱生命，关注生态平衡与绿色环保的重大现实。
惊险刺激的探险旅途，
能让孩子在因缘际会中，感知生活的缤纷底色与不可预知的精彩；
引领他们构建自我知识与品格系统，充盈成长的内驱力。
每一次完美的出发，
都是对生命的勇敢探索，更是对生活的热情礼赞！

人物档案

巴克队长

Captain Barnacles

巴克是一只北极熊，他是读解地图和图表的专家，探索未知海域和发现未知海洋生物是他保持旺盛精力的法宝。他勇敢、沉着、冷静，是小纵队引以为傲、值得信赖的队长，他的果敢决策激励着每一位成员。

皮医生

Peso

皮医生是一只可爱的企鹅。他是小纵队的医生，如果有人受伤，需要救治，他会全力以赴。他的勇气来自一颗关爱别人的心，无论是大型海洋动物还是小小浮游生物，都很喜欢皮医生。

呱 唧

Kwazii

呱唧是一只冲动的橘色小猫，有过一段神秘的海盗生涯。他性格豪放，常常会讲起自己曾经的海盗经历。呱唧热爱探险，将探险家精神展现得淋漓尽致。虽然他是只猫咪，但他从不吃鱼哟！

谢灵通

Shellington

谢灵通是一只海獭，随身携带着一个用来观察生物的放大镜。他博学多识，无所不知，常常能发现队友们所忽略的关键细节。不过，他有时候容易分心，常常被新鲜事物所吸引。

达西西

Dashi

达西西是一只腊肠狗，她是小纵队的官方摄影师。她拍摄的影像是海底小纵队资料库中必不可少的一部分，而且还纳入了章鱼堡电脑系统的档案中。

突突兔

Tweak

突突兔是小纵队的机械工程师，负责维护和保养小纵队所有的交通工具。为了小纵队的某项特殊任务，突突兔还要对部分机械进行改造。她还热衷于发明一些新奇的东西，这些发明有时能派上大用场。

小萝卜

Tunip

小萝卜和其他六只植物鱼是小纵队的厨师，负责小纵队全体成员的饮食等家政服务，还管理着章鱼堡的花园。植物鱼们有自己独特的语言，这种语言只有谢灵通才能听得懂。

章教授

Professor Inking

章教授是一只小飞象章鱼，左眼带着单片眼镜，很爱读书，见多识广。当队员们出去执行任务的时候，他会待在基地负责联络工作。

目录 CONTENTS

海底小纵队与巨藻林

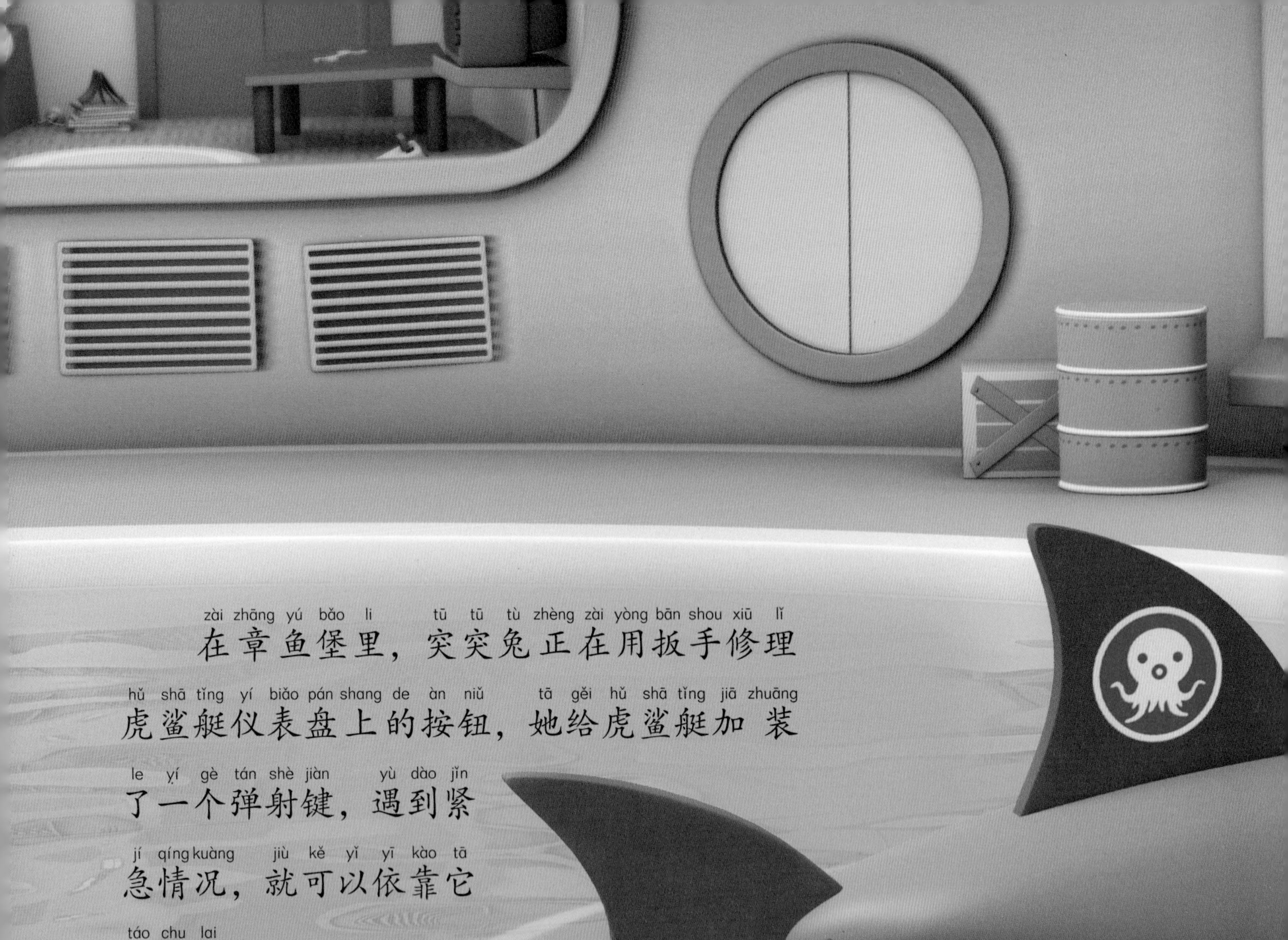

zài zhāng yú bǎo li tū tū tù zhèng zài yòng bān shou xiū lǐ
在章鱼堡里，突突兔正在用扳手修理

hǔ shā tǐng yí biǎo pán shang de àn niǔ tā gěi hǔ shā tǐng jiā zhuāng
虎鲨艇仪表盘上的按钮，她给虎鲨艇加装

le yí gè tán shè jiàn yù dào jǐn
了一个弹射键，遇到紧

jí qíng kuàng jiù kě yǐ yī kào tā
急情况，就可以依靠它

táo chu lai
逃出来。

zhè shí guā jī pǎo le guò lái jiàn hǔ shā tǐng yǐ jīng xiū
这时，呱唧跑了过来，见虎鲨艇已经修

lǐ hǎo pò bù jí dài de yào jià zhe tā qù dōu dou fēng
理好，迫不及待地要驾着它去兜兜风。

突突兔从虎鲨艇里跳出来后，呱唧连忙进去了。

突突兔还准备给呱唧讲解一下操作方法呢！可呱唧已经发动了虎鲨艇，正向舱门处开去。见呱唧这么心急，突突兔无奈地叹了口气，走到控制台，拨动操纵杆，开启了章鱼堡舱门。

guā jī jià shǐ zhe hǔ shā tǐng qián rù shuǐ zhōng
呱唧驾驶着虎鲨艇潜入水中
de cāng mén lí kāi le zhāng yú bǎo
的舱门，离开了章鱼堡。

zài hǎi dǐ xíng shǐ le yí huì er guā jī jiù xiǎng shì shi zhè ge tán shè jiàn dào dǐ hǎo bù
在海底行驶了一会儿，呱唧就想试试这个弹射键到底好不
hǎo yòng tā háo bù yóu yù de àn xià le yí biǎo pán shang de fā shè àn niǔ
好用，他毫不犹豫地按下了仪表盘上的发射按钮。

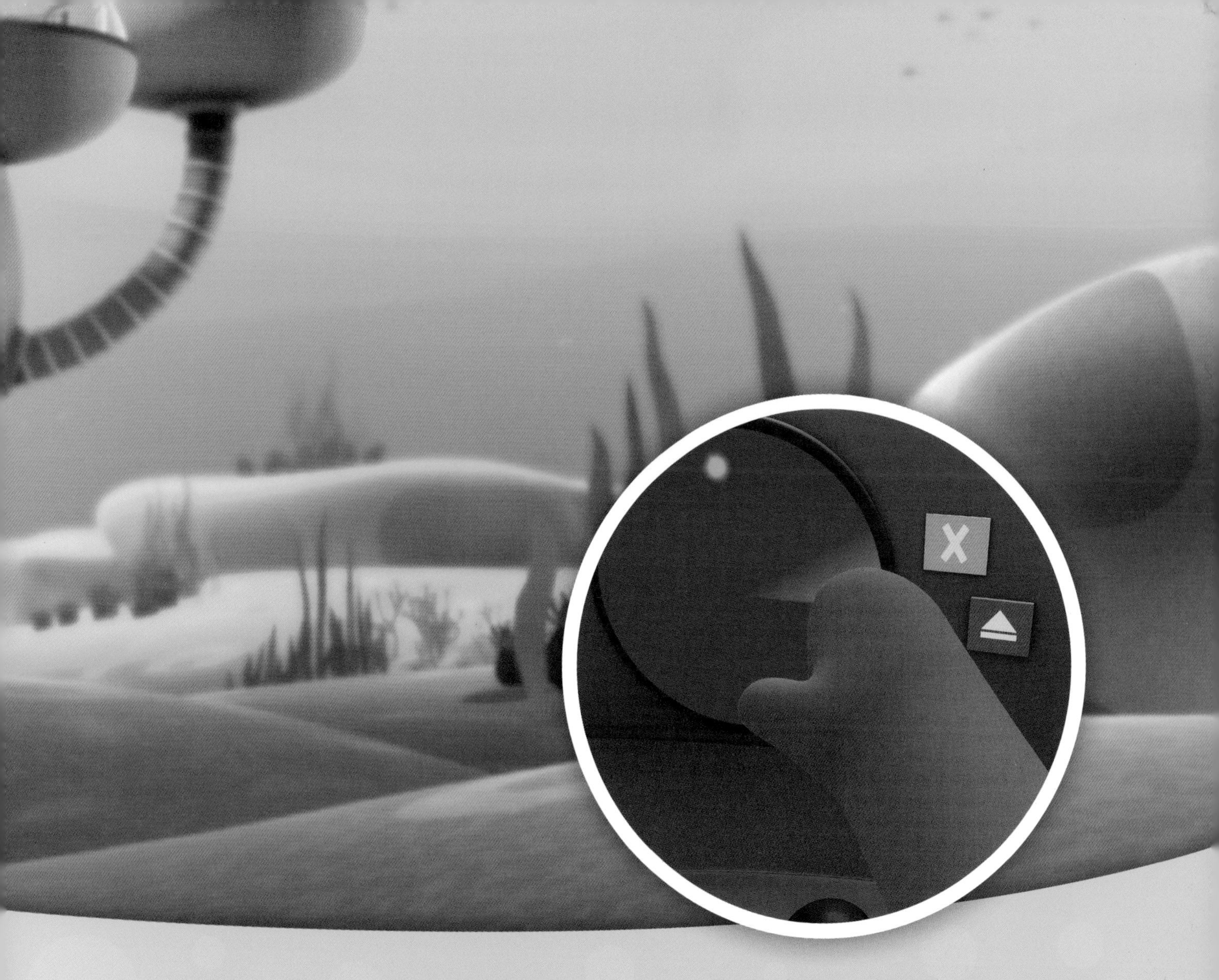

guǒ rán tā cóng zuò wèi shang bèi tán shè le chū lái ér qiě tán shè lì fēi chángqiáng tā luò zài
果然，他从座位上被弹射了出来，而且弹射力非常强，他落在

le lí zhāng yú bǎo bù yuǎn de yí kuài jiāo shí shang tā gānghuān hū le yí zhèn tū rán fā xiàn hǔ shā tǐng
了离章鱼堡不远的一块礁石上。他刚欢呼了一阵，突然发现虎鲨艇

jìng rán zì jǐ kāi zǒu le yuán lái tā wàng le guān yǐn qíng
竟然自己开走了，原来他忘了关引擎。

à bù wǒ de hǔ shā tǐng wǒ wàng jì guān diào yǐn qíng le guā jī ào nǎo de shuō
“啊，不，我的虎鲨艇，我忘记关掉引擎了！”呱唧懊恼地说
dào tā kàn zhe hǔ shā tǐng lí tā yuè lái yuè yuǎn hèn hèn de duò le duò jiǎo zhuǎn shēn yóu xiàng zhāng
道，他看着虎鲨艇离他越来越远，恨恨地跺了跺脚，转身游向章
yú bǎo
鱼堡。

cǐ shí tū tū tù hé bā kè duì zhǎng dōu zài fā shè tái huā lā yì shēng shēn hòu shuǐ huā sì

此时突突兔和巴克队长都在发射台，哗啦一声，身后水花四

jiàn tā men niǔ guò tóu lai kàn dào guā jī cóng shuǐ li mào chū tóu zǒu shàng àn lai guā jī kàn dào

溅，他们扭过头来，看到呱唧从水里冒出头，走上岸来。呱唧看到

bā kè duì zhǎng hé tū tū tù chōng mǎn yí huò de yǎn shén yǒu diǎn bù hǎo yì si de shuō wǒ yǒu yì

巴克队长和突突兔充满疑惑的眼神，有点不好意思地说：“我有一

diǎn er xiǎo wèn tí

点儿小问题……”

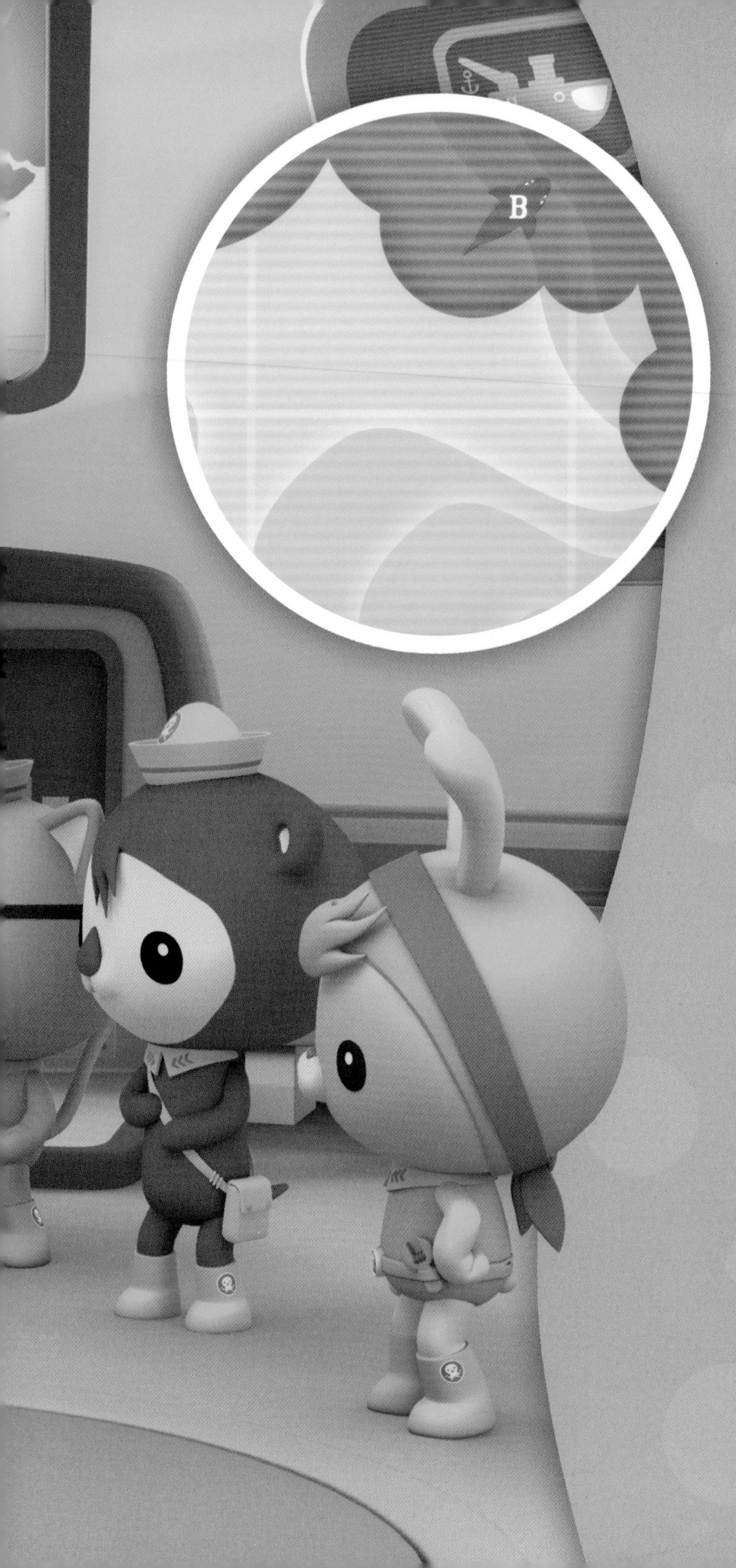

hái méi děng tā shuō wán tū tū tù jiù cāi
还没等他说完，突突兔就猜
dào fā shēng le shén me shì tā wèn dào nǐ
到发生了什么事，她问道：“你
wàng le guān yǐn qíng ba shì bú shì
忘了关引擎吧，是不是？”

wàng le bù kě néng bèi yì yǎn
“忘了？不可能！”被一眼
kàn chuān de guā jī bù kěn chéng rèn lǐ zhí qì
看穿的呱唧不肯承认，理直气
zhuàng de shuō dào tā kě bù xiǎng chéng rèn zì jǐ
壮地说道。他可不想承认自己
wàng le guān yǐn qíng kě shì tū tū tù yí fù liǎo
忘了关引擎。可是突突兔一副了
rán yú xiōng de yàng zi guā jī zhǐ dé chéng rèn
然于胸的样子，呱唧只得承认
cuò wù gào su dà jiā shì qing de jīng guò
错误，告诉大家事情的经过。

bā kè duì zhǎng lì kè ràng tū tū tù qǐ
巴克队长立刻让突突兔启
dòng zhāng yú jǐng bào tōng zhī dà jiā gǎn dào le jī
动章鱼警报，通知大家赶到了基
dì zǒng bù tū tū tù lì yòng dìng wèi yí sōu xún
地总部。突突兔利用定位仪搜寻
dào le hǔ shā tǐng de shēn yǐng tā sì hū bèi qiǎ
到了虎鲨艇的身影，它似乎被卡
zài le yí gè hěn dà de dōng xi li
在了一个很大的东西里。

xiè líng tōng nǐ fù zé chá chū zhè dōng xi dào dǐ shì shén me bā kè duì zhǎng jué dìng bīng fēn
“谢灵通，你负责查出这东西到底是什么，”巴克队长决定兵分

liǎng lù tā jiē zhe shuō dào tū tū tù lì kè zhǔn bèi lán jīng tǐng hǎi dǐ xiǎo zòng duì qù fā
两路，他接着说道，“突突兔，立刻准备蓝鲸艇！海底小纵队，去发

shè tái bā kè duì zhǎng dài lǐng hǎi dǐ xiǎo zòng duì lái dào fā shè tái
射台！”巴克队长带领海底小纵队来到发射台。

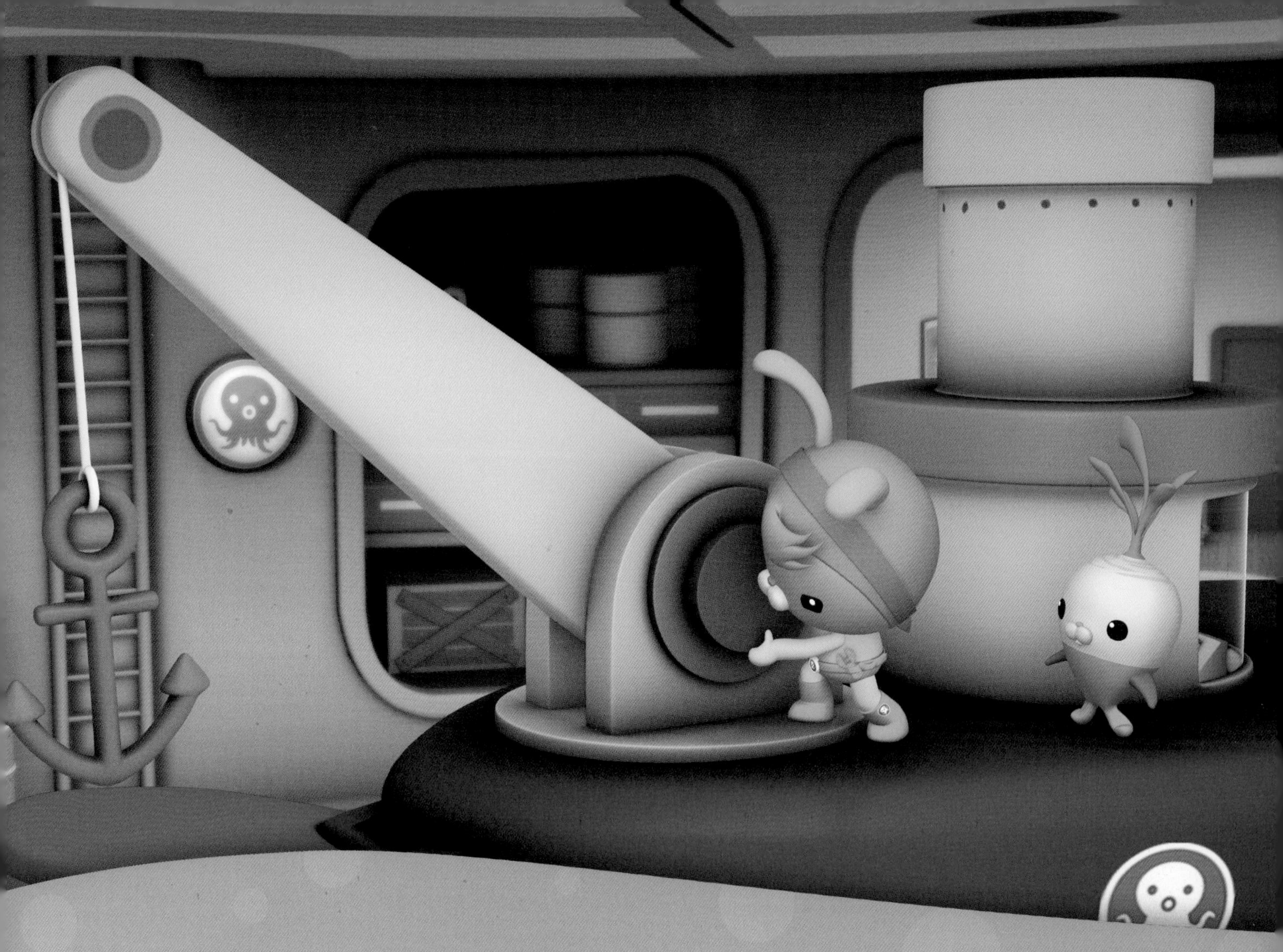

zài fā shè tái dá xī xī xiè líng tōng hé pí yī shēng zài yán jiū hǔ shā tǐng jiū jìng qiǎ zài le
在发射台，达西西、谢灵通和皮医生在研究虎鲨艇究竟卡在了

shén me lǐ miàn
什么里面。

bā kè duì zhǎng zhèng zài zhǐ huī tū tū tù jiǎn chá lán jīng tǐng guā jī zài yì páng shí fēn zháo jí
巴克队长正在指挥突突兔检查蓝鲸艇。呱唧在一旁十分着急，

huāng luàn de zǒu lái zǒu qù
慌乱地走来走去。

“我找出来一些照片，都是你和虎鲨艇的。”达西西按下仪表盘上的按钮，对呱唧说道。显示屏上出现了一组照片，大家都围到发射台看。

呱唧看了这些照片，不禁有些难过，“虎鲨艇绝对是最棒的，伙计们。”大家都安慰着呱唧。

这时，蓝鲸艇也准备好了，巴克队长带着呱唧和谢灵通进入了蓝鲸艇。

蓝鲸艇很快就驶离了章鱼堡，向之前定位到的目标行驶而去。根据显示屏上的图像，他们已经离虎鲨艇不远了。

bǎ tā tuō hui qu yīng gāi bú suàn nán
“把它拖回去应该不算难

shì bā kè duì zhǎng kàn zhe tú xiàng shuō dào
事。”巴克队长看着图像说道。

guā jī tīng le yě jué de shèng lì zài wàng
呱唧听了，也觉得胜利在望。

yòu wǎng qián xíng shǐ le yí huì er nǐ
又往前行驶了一会儿，“你

men kuài kàn nà er bā kè duì zhǎng zuì xiān fā
们快看那儿！”巴克队长最先发

xiàn le qián miàn de yì yàng guā jī hé xiè líng tōng
现了前面的异样，呱唧和谢灵通

yě xià le yí tiào
也吓了一跳。

yuán lái tā men lái dào le yí piàn jù
原来，他们来到了一片巨

zǎo lín li bā kè duì zhǎng yòu kàn
藻林里。巴克队长又看

le kàn xiǎn shì píng shuō jiàn tǐng
了看显示屏说：“舰艇

dìng wèi yí xiǎn shì hǔ shā tǐng
定位仪显示，虎鲨艇

zài zhè ge hǎi zǎo sēn lín li wǒ
在这个海藻森林里，我

men děi jìn qu zhǎo tā
们得进去找它。”

GUP-C

huà yīn gāng luò guā jī yǐ jīng jī huó tóu kuī shuài xiān lí kāi lán jīng tǐng zhí bèn zhe jù zǎo
话音刚落，呱唧已经激活头盔，率先离开蓝鲸艇，直奔着巨藻

lín qù le bā kè duì zhǎng hé xiè líng tōng yě jī huó tóu kuī jǐn suí guā jī ér qù
林去了。巴克队长和谢灵通也激活头盔，紧随呱唧而去。

méi duō jiǔ tā men sān rén jiù lái dào le jù zǎo lín de zhèngzhōng xīn tái tóu wàng qù jù zǎo
没多久，他们三人就来到了巨藻林的正中心，抬头望去，巨藻

sì hū dōu zhǎng chū le hǎi miàn
似乎都长出了海面。

“天哪，巨藻是海里最高的植物了，它们会一直往上长，直到海藻的叶子能晒到阳光为止。”谢灵通带着他们又往上游了一段，接着说道，“和陆地上的森林一样，巨藻林也是很多生物的家。”

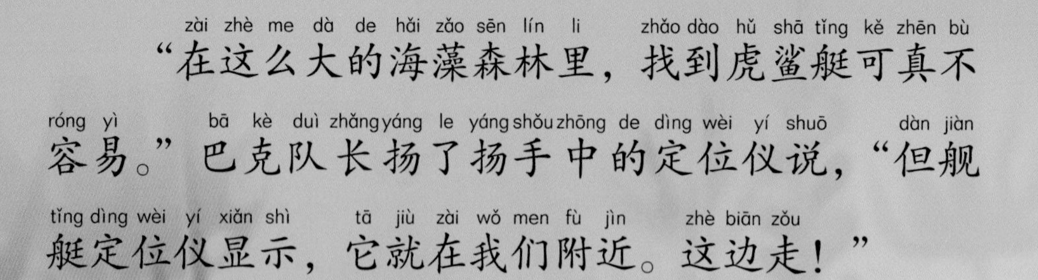

zài zhè me dà de hǎi zǎo sēn lín li zhǎo dào hǔ shā tǐng kě zhēn bù
“在这么大的海藻森林里，找到虎鲨艇可真不

róng yì bā kè duì zhǎng yáng le yáng shǒu zhōng de dìng wèi yí shuō dàn jiàn
容易。”巴克队长扬了扬手中的定位仪说，“但舰

tǐng dìng wèi yí xiǎn shì tā jiù zài wǒ men fù jìn zhè biān zǒu
艇定位仪显示，它就在我们附近。这边走！”

guā jī hé xiè líng tōng gēn zhe
呱唧和谢灵通跟着

bā kè duì zhǎng wǎng nà biān yóu qù
巴克队长往那边游去。

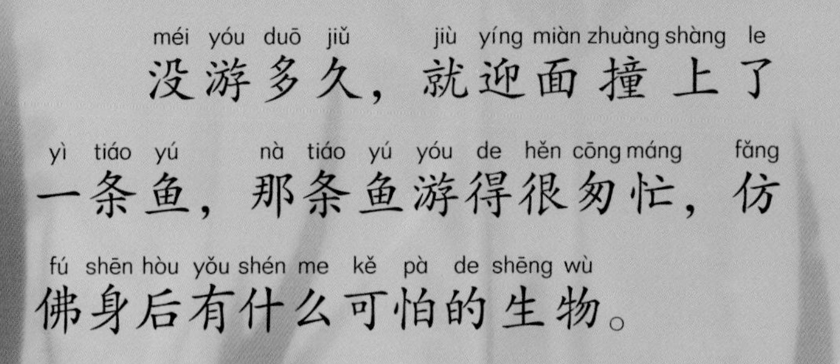

méi yóu duō jiǔ　jiù yíng miàn zhuàng shàng le
没游多久，就迎面撞上了
yì tiáo yú　nà tiáo yú yóu de hěn cōng máng　fǎng
一条鱼，那条鱼游得很匆忙，仿
fú shēn hòu yǒu shén me kě pà de shēng wù
佛身后有什么可怕的生物。

tā kàn dào bā kè duì zhǎng yì xíng rén　jǐn zhāng de shuō　xiǎo xīn　nà
他看到巴克队长一行人，紧张地说：“小心，那
ge lín zi li yǒu yì tiáo jù dà de jú huáng sè shā yú　shuō wán jiù yóu zǒu le
个林子里有一条巨大的橘黄色鲨鱼！”说完就游走了。

jú huáng sè shā yú　guā jī rèn wéi nà yīng gāi shì hǔ shā tǐng　lián
“橘黄色鲨鱼？”呱唧认为那应该是虎鲨艇，连
máng gēn le shàng qù　xiǎng wèn gè jiū jìng
忙跟了上去，想问个究竟。

bā kè duì zhǎng hé xiè líng tōng yě gēn guo qu le
巴克队长和谢灵通也跟过去了。

guā jī zhuī shang qu jiù kāi shǐ dǎ ting jú huáng sè shā yú de wèi zhì kě zhè tiáo yú yǒu xiē hài pà zhǐ shuō shā yú chōng jìn le lín zi
呱唧追上去就开始打听橘黄色鲨鱼的位置。可这条鱼有些害怕，只说鲨鱼冲进了林子。

zhè shí guā jī ná chū suí shēn xié dài de hé hǔ shā tǐng de hé zhào jì xù zhuī wèn nǐ shì kàn jiàn zhè ge le ma huǒ ji
这时呱唧拿出随身携带的和虎鲨艇的合照，继续追问："你是看见这个了吗，伙计？"

zhè tiáo yú sì hū gèng hài pà le měng rán pēn chū yì gǔ shuǐ zhù bǎ guā jī pēn de lǎo yuǎn
这条鱼似乎更害怕了，猛然喷出一股水柱，把呱唧喷得老远，
diē zuò zài dì shang xiè líng tōng gào su dà jiā zhè shì péng shā dāng tā gǎn jué dào le wēi xiǎn jiù
跌坐在地上。谢灵通告诉大家：“这是膨鲨，当他感觉到了危险，就
huì hē hěn duō shuǐ biàn chéng yì zhī péngzhàng de qì qiú rán hòu
会喝很多水，变成一只膨胀的气球，然后……”

wǒ zhī dào rán hòu huì zěn me yàng le xiè líng tōng guā jī bú nài fán de shuō dào
“我知道然后会怎么样了，谢灵通。”呱唧不耐烦地说道。

巴克队长带着呱唧和谢灵通继续向巨藻林深处游去，结果没游几步，呱唧就被脚下的一个东西给绊倒了，原来是一只匍匐在海底的鱼。

“是只铲鼻犁头鳐。”谢灵通给大家介绍了一下面前这条鱼。

“这位也会喷水吗？”呱唧紧张地问道。

“不，他基本上都躲在沙子里。”谢灵通答道。这只铲鼻犁头鳐没见过虎鲨艇，他建议巴克队长往上找找，说完就走了。

yì zhí méi yǒu zhǎo dào hǔ shā tǐng guā jī
一直没有找到虎鲨艇，呱唧
yǐ jīng yǒu diǎn er bú nài fán le
已经有点儿不耐烦了。

zán men wǎng shàng kàn kan bā kè duì
“咱们往上看看。”巴克队
zhǎng jué de nà tiáo yú shuō de yǒu dào lǐ xiè líng
长觉得那条鱼说的有道理。谢灵
tōng yě tái qǐ tóu wǎng shàng kàn tā hǎo xiàng xiǎng
通也抬起头往上看，他好像想
dào le shén me shuō dào wǒ men què shí yīng
到了什么，说道：“我们确实应
gāi wǎng shàng kàn duì zhǎng jù zǎo lín jiù xiàng
该往上看，队长，巨藻林就像
yí zuò hěn duō céng de gāo lóu
一座很多层的高楼。”

bā kè duì zhǎng míng bai le xiè líng tōng de
巴克队长明白了谢灵通的
yì si tā men yì zhí zài zuì xià miàn zhǎo dàn
意思，他们一直在最下面找，但
hǔ shā tǐng yě kě néng zài shàng miàn
虎鲨艇也可能在上面。

hǎi dǐ xiǎo zòng duì zhí xíng rèn wu
“海底小纵队执行任务！”
bā kè duì zhǎng shuō wán jiù dài lǐng tā men èr rén
巴克队长说完就带领他们二人
wǎng shàng yóu
往上游。

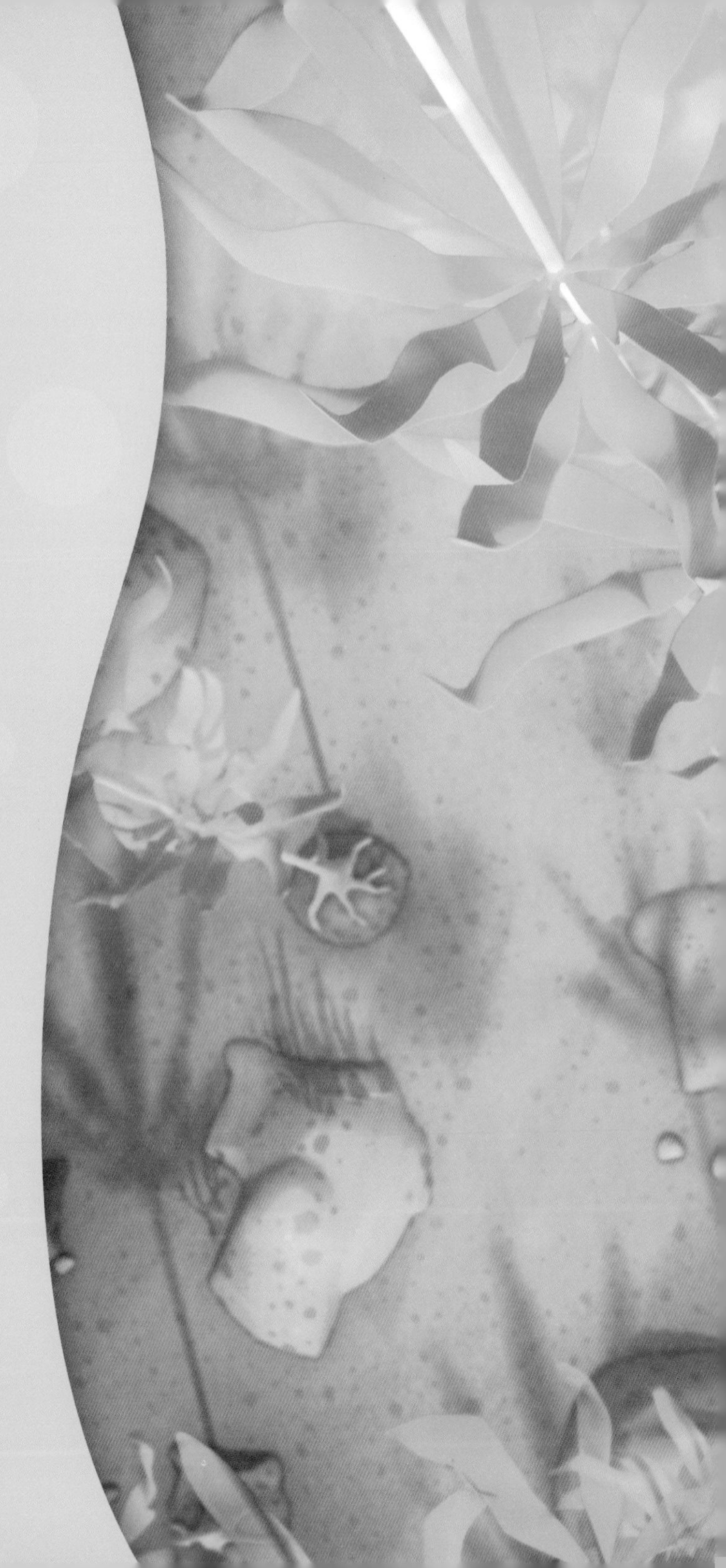

yóu le dà yuē shí fēn zhōng hòu tā men tíng le
游了大约十分钟后他们停了
xià lái yīn wèi shǒu zhōng de dìng wèi yí xiǎn shì hǔ
下来，因为手中的定位仪显示虎
shā tǐng yǐ jīng lí tā men hěn jìn le
鲨艇已经离他们很近了。

nà wèi shén me kàn bú jiàn tā tā huì zài
“那为什么看不见它？它会在
nǎ er ne guā jī huán shì le yì quān wèn dào
哪儿呢？”呱唧环视了一圈问道。

nǐ méi cuò jiù shì nǐ tū rán
“你，没错，就是你。”突然，
bù zhī cóng nǎ er chuán lái mò shēng de shēng yīn guā
不知从哪儿传来陌生的声音，呱
jī xún shēng wàng qù shén me dōu méi yǒu
唧循声望去，什么都没有。

guò le yí huì er shēng yīn yòu xiǎng le qǐ
过了一会儿，声音又响了起
lái dà jiā dōu jué de hěn qí guài sì chù xún zhǎo
来。大家都觉得很奇怪，四处寻找
jiū jìng shì shuí zài jiǎng huà kě shì tā men hái shi shén
究竟是谁在讲话。可是他们还是什
me dōu méi fā xiàn
么都没发现。

hēi hēi hā hā yuán lái shì sān zhī lǜ sè de xiǎo yú tā men cóng hǎi zǎo yè zi hòu miàn
“嘿嘿，哈哈！”原来是三只绿色的小鱼，他们从海藻叶子后面

yóu le chū lái děng guā jī yóu guo qu shí xiǎo yú yǐ jīng yóu kāi le kě shì guā jī què zài zhè lǐ
游了出来。等呱唧游过去时，小鱼已经游开了。可是呱唧却在这里

tòu guò hǎi zǎo yè zi kàn dào le jú huáng sè de hǔ shā tǐng
透过海藻叶子看到了橘黄色的虎鲨艇。

wǒ men xiǎng shuō tā jiù zài nǐ miàn qián nà sān tiáo
“我们想说，它就在你面前。”那三条

xiǎo yú yòu yóu le huí lái
小鱼又游了回来。

yuán lái zhè sān tiáo xiǎo yú jiào hǎi zǎo yú yīn wèi tā men hé hǎi zǎo zhǎng de hěn xiàng kě yǐ suí
原来这三条小鱼叫海藻鱼，因为他们和海藻长得很像，可以随

shí suí dì de duǒ jìn hǎi zǎo li
时随地地躲进海藻里。

zhè shí lìng wài yí gè shēng yīn xiǎng le qǐ lái dào zhè er lái ba yóu xì shí jiān jié shù le
这时，另外一个声音响了起来："到这儿来吧，游戏时间结束了。"

yuán lái shì hǎi zǎo yú de mā ma lái dài hái zi men huí jiā le
原来是海藻鱼的妈妈来带孩子们回家了。

hǎi zǎo yú lí kāi hòu bā kè duì zhǎng hé xiè líng tōng jià shǐ zhe lán jīng tǐng guā jī zuò jìn le
海藻鱼离开后，巴克队长和谢灵通驾驶着蓝鲸艇，呱唧坐进了
hǔ shā tǐng jiāng lán jīng tǐng de gōu zi láo láo gōu zài hǔ shā tǐng shang dài tā lí kāi jù zǎo lín
虎鲨艇，将蓝鲸艇的钩子牢牢钩在虎鲨艇上，带它离开巨藻林。

kuài bǎ jiǎo nuó kāi guā jī bié pèng dào tán shè jiàn le bā kè duì zhǎng tí xǐng dào
“快把脚挪开，呱唧，别碰到弹射键了。”巴克队长提醒道。

hǎo de fàng xīn ba jié guǒ huà yīn gāng luò guā jī jiù yì jiǎo cǎi zài le tán shè jiàn de
“好的，放心吧！”结果话音刚落，呱唧就一脚踩在了弹射键的
fā shè àn niǔ shang tā yòu yí cì cóng hǔ shā tǐng li bèi tán shè le chū lái tā zhǐ dé gēn zài dà bù
发射按钮上，他又一次从虎鲨艇里被弹射了出来。他只得跟在大部
duì hòu miàn zì jǐ yóu huí le zhāng yú bǎo
队后面，自己游回了章鱼堡。

欢迎进入本期海底报告，这次我们要介绍的是**巨藻林**！

大海大海真神秘
最高的植物是巨藻林
它们会一直努力长高
直到阳光给它们拥抱
巨藻林里住满了精彩
海洋生物在这都开怀

海底小纵队与海马传说

guā jī shēn le gè dà dà de lǎn yāo zhè xiē tiān shēn yè chū rèn wu zhēn shì bǎ dà jiā lèi huài
呱唧伸了个大大的懒腰，这些天深夜出任务，真是把大家累坏

le pí yī shēng zài hòu miàn dǎ qǐ le dǔn bú guò zhí dé xīn wèi de shì hǎi yáng li yí qiè píng ān
了！皮医生在后面打起了盹。不过值得欣慰的是海洋里一切平安。

tū rán yí zhèn shēng yīn xiǎng qǐ yuán lái shì bā kè duì zhǎng de dù zi è de gū gū jiào ne
突然，一阵声音响起，原来是巴克队长的肚子饿得咕咕叫呢。

guā jī mō le mō dù pí yě jué de è le
呱唧摸了摸肚皮，也觉得饿了。

bā kè duì zhǎng kàn dà jiā yòu lèi yòu è jiù xíng shǐ dào qián mian jiāng dēng long yú tǐng tíng zài le
巴克队长看大家又累又饿，就行驶到前面，将灯笼鱼艇停在了

hǎi zǎo chí táng zhǔn bèi yì qǐ chī diǎn er zǎo cān
海藻池塘，准备一起吃点儿早餐。

guā jī jiào xǐng le pí yī shēng tā men ná chū xiǎo luó bo wèi tā men dài de shí wù bǎi zài dì
呱唧叫醒了皮医生，他们拿出小萝卜为他们带的食物，摆在地

shang guā jī bú tài xǐ huan gān cǎo wèi de dàn gāo pí yī shēng wèi tā jiā le cǎo méi jiàng tā xīn mǎn
上。呱唧不太喜欢甘草味的蛋糕，皮医生为他加了草莓酱，他心满

yì zú de chī le qǐ lái
意足地吃了起来。

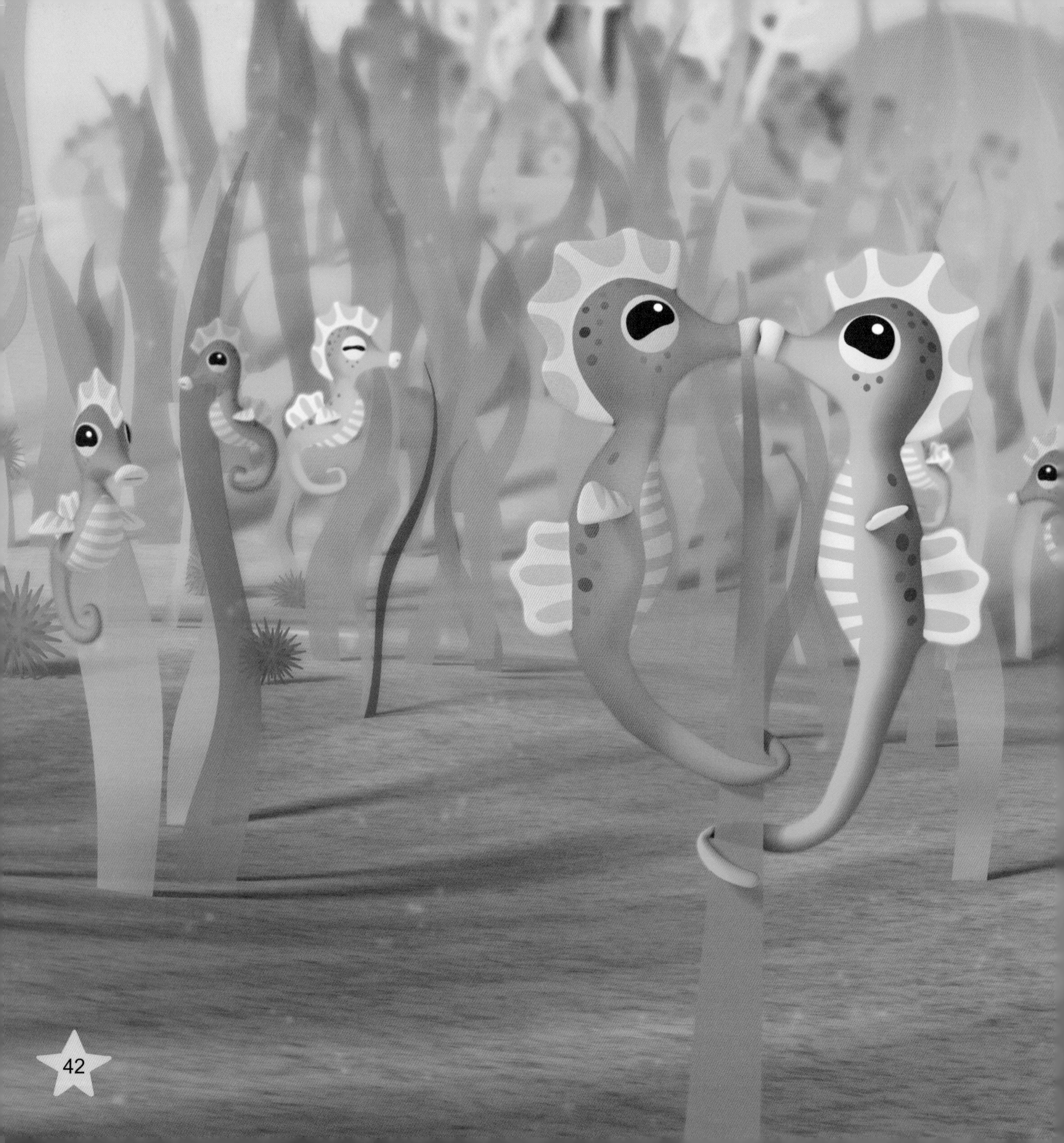

dāng dà jiā chī de zhèng kāi xīn de shí hou
当大家吃得正开心的时候，
pí yī shēng tái qǐ tóu kàn dào hǎi zǎo chí táng li
皮医生抬起头，看到海藻池塘里
jū rán yǒu yì qún hǎi mǎ
居然有一群海马。

kàn nà lǐ hǎi mǎ pí yī shēng
“看那里，海马！”皮医生
xīng fèn de jiào dào zhǐ jiàn yì qún sè cǎi xiān
兴奋地叫道。只见一群色彩鲜
yàn de hǎi mǎ zhèng zài hǎi zǎo zhōng piān piān qǐ wǔ
艳的海马正在海藻中翩翩起舞，
ē nuó de shēn zī fēi cháng yōu yǎ
婀娜的身姿非常优雅。

kàn nà liǎng zhī tā men yì zhí zài tiào
“看那两只，他们一直在跳
hǎi dǐ xuán zhuǎn mù mǎ wǔ pí yī shēng jì
海底旋转木马舞。”皮医生继
xù shuō dào guǒ rán yì zhī lǜ sè de
续说道。果然，一只绿色的
hǎi mǎ hé yì zhī jú hóng sè de hǎi mǎ
海马和一只橘红色的海马
zhèng zài xuán zhuǎn zhe tiào wǔ tā men de
正在旋转着跳舞，他们的
wěi ba jǐn jǐn gōu zhe hǎi zǎo de gēn bù
尾巴紧紧勾着海藻的根部，
shí bù shí hái huì yōng bào zài yì qǐ
时不时还会拥抱在一起。

海底小纵队惊呆了。巴克队长按下通话按钮，向海马们打听这种神奇的舞蹈。

刚才那两只拥抱在一起的海马，游了过来，绿色的是桑尼，橘红色的是珍妮丝。他们介绍这是海马的求爱舞，海马可以根据喜欢程度而变换身体颜色。说完他们又演示了一遍。

kàn wán le shén qí de wǔ dǎo bā kè duì zhǎng jià shǐ zhe dēng long yú tǐng fǎn huí zhāng yú bǎo
看完了神奇的舞蹈，巴克队长驾驶着灯笼鱼艇返回章鱼堡。

tú zhōng dá xī xī hū jiào bā kè duì zhǎng shuō yǒu yì chǎng dà fēng bào jiù yào lái le ràng tā men gǎn kuài huí dào zhāng yú bǎo
途中，达西西呼叫巴克队长，说有一场大风暴就要来了，让他们赶快回到章鱼堡。

xiè xie nǐ wǒ men zhèng zài gǎn hui qu de lù shang bā kè duì zhǎng duì dá xī xī shuō dào
“谢谢你，我们正在赶回去的路上。”巴克队长对达西西说道。

děngdeng guā jī tū rán hǎn le yì shēng tā zhǐ xiàng qián fāng duì bā kè duì zhǎng shuō kàn
“等等！”呱唧突然喊了一声，他指向前方对巴克队长说，“看

nà xiē yú qún huǒ ji men tā men dōu zài zhǎo bì nàn de dì fang ne
那些鱼群，伙计们，他们都在找避难的地方呢。”

fēng bào lái de shí hou yú qún huì yóu xiàng gēng shēn de shuǐ yù nà lǐ huì gèng ān quán bā
“风暴来的时候，鱼群会游向更深的水域，那里会更安全。”巴

kè duì zhǎngxiàng guā jī hé pí yī shēng jiě shì
克队长向呱唧和皮医生解释。

zhè shí hòu hòu de wū yún yǐ jīng lǒng zhào le hǎi miàn yǔ xià gè bù tíng hǎi miànshang de làng
这时，厚厚的乌云已经笼罩了海面，雨下个不停，海面上的浪

yě yuè lái yuè dà
也越来越大。

dēng long yú tǐng zhōng yú zài fēng bào lái lín zhī qián huí dào le
灯笼鱼艇终于在风暴来临之前，回到了
hǎi dǐ de zhāng yú bǎo li
海底的章鱼堡里。

zhè chǎng fēng bào yì shí bàn huì er tíng bù liǎo
“这场风暴一时半会儿停不了，
hái tǐng dà de duì zhǎng zuò zài kòng zhì
还挺大的，队长。”坐在控制
tái qián de dá xī xī duì bā kè duì
台前的达西西对巴克队
zhǎng shuō dào
长说道。

这时，皮医生抬头发现珍妮丝在章鱼堡外面，急速的水流让她的身体左右摇摆。皮医生连忙呼唤巴克队长，但是很快珍妮丝就被湍急的水流带走了。巴克队长命令皮医生立刻启动章鱼警报。

“海底小纵队，

去发射台！”

hǎi dǐ xiǎo zòng duì
“海底小纵队，
wǒ men de péng you zhēn nī sī
我们的朋友珍妮丝
bèi kùn zài fēng bào li le
被困在风暴里了，
wǒ men yào bǎ tā jiù chu lai
我们要把她救出来。”
bā kè duì zhǎng jiǎng míng qíng kuàng tū
巴克队长讲明情况。突
tū tù gào su dà jiā dēng long yú tǐng yǐ jīng chōng
突兔告诉大家灯笼鱼艇已经充
mǎn diàn suí shí kě yǐ chū fā
满电，随时可以出发。

bā kè duì zhǎng dài zhe pí yī shēng hé guā jī
巴克队长带着皮医生和呱唧
zài cì dēng shàng le dēng long yú tǐng chū fā le
再次登上了灯笼鱼艇，出发了。
yīn wèi hǎi shang fēng bào de yuán yīn hǎi dǐ de shuǐ
因为海上风暴的原因，海底的水
liú fēi cháng jí dēng long yú tǐng yǒu xiē diān bǒ
流非常急，灯笼鱼艇有些颠簸。

dàn shì guā jī yì diǎn er yě bú zài yì
但是呱唧一点儿也不在意，
tā zài yú tǐng li pǎo lái pǎo qù pí yī shēng què
他在鱼艇里跑来跑去。皮医生却
xià de bù qīng
吓得不轻。

zhēng dà yǎn jing xún zhǎo zhēn nī sī
“睁大眼睛寻找珍妮丝！”

bā kè duì zhǎng yì biān láo láo de wò zhe fāng xiàng
巴克队长一边牢牢地握着方向
pán yì biān mìng lìng dào
盘，一边命令道。

bù yí huì er guā jī yòng wàng yuǎn jìng fā xiàn le
不一会儿，呱唧用望远镜发现了
wěi ba guà zài hǎi zǎo yè zi shang de zhēn nī sī ér qiě
尾巴挂在海藻叶子上的珍妮丝，而且
hái tīng dào le zhēn nī sī de qiú jiù shēng
还听到了珍妮丝的求救声。

yuè kào jìn zhēn nī sī shuǐ liú jiù yuè jí
越靠近珍妮丝，水流就越急。

bā kè duì zhǎng hái méi ān pái hǎo rèn wu guā jī jiù
巴克队长还没安排好任务，呱唧就

bú jiàn le zōng yǐng yuán lái guā jī yǐ jīng dài
不见了踪影。原来呱唧已经戴

shàng tóu kuī ná zhe bǔ lāo wǎng lí kāi le
上头盔，拿着捕捞网离开了

yú tǐng
鱼艇。

jǐn guǎn shuǐ liú fēi cháng jí guā jī hái shi pīn mìng xiàng zhēn nī
尽管水流非常急，呱唧还是拼命向珍妮

sī de fāng xiàng yóu qù nǔ lì jiāng zhēn nī sī wǎng zhù
丝的方向游去，努力将珍妮丝网住。

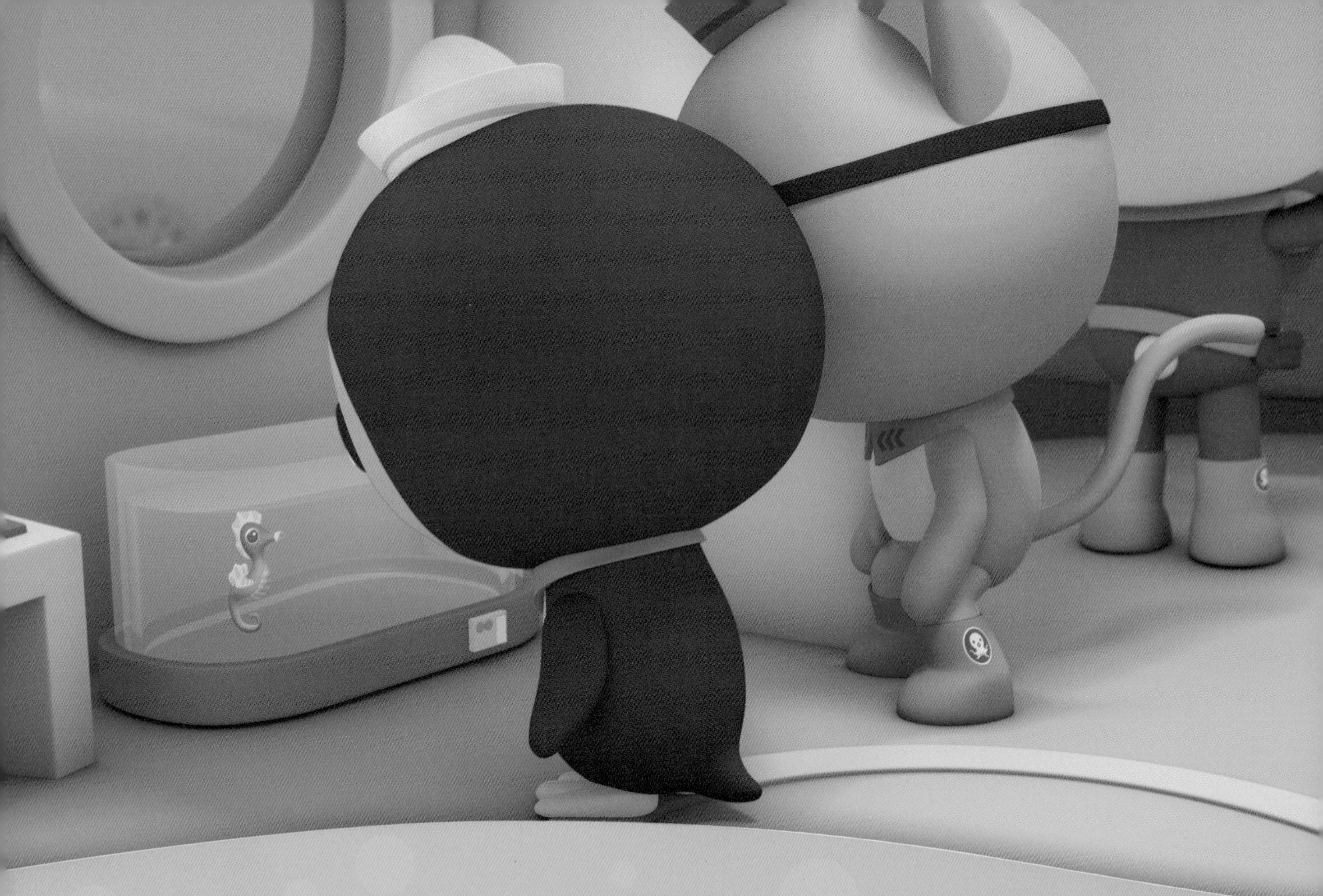

皮医生见呱唧网住了珍妮丝，连忙准备好水箱。现在，珍妮丝安全地待在里面。

珍妮丝非常感谢他们，还解释说是因为海马不擅长游泳，顺着水流漂，这才卷进了风暴。

皮医生听后告诉珍妮丝，她可以在章鱼堡休息，一直到风暴结束。

kě shì zhēn nī sī shí fēn dān xīn sāng ní yīn wèi tā mǎ shàng yào shēng xiǎo bǎo bèi le
可是珍妮丝十分担心桑尼，因为他马上要生小宝贝了。

guā jī tīng le tiào qi lai dà jiào yì shēng shén me bú shì mā ma shēng bǎo bèi ma
呱唧听了，跳起来大叫一声：“什么？不是妈妈生宝贝吗？”

hǎi mǎ kě bú shì zhè yàng de zài bǎo bao chū shēng yǐ qián hǎi mǎ bà ba dōu huì yòng tè shū
“海马可不是这样的，在宝宝出生以前，海马爸爸都会用特殊

de yù ér dài huái zhe tā men pí yī shēng nài xīn de jiě shì dào
的育儿袋怀着他们。”皮医生耐心地解释道。

bā kè duì zhǎng tīng dào le tā men de tán
巴克队长听到了他们的谈
huà tā xiàng zhēn nī sī bǎo zhèng tā men yí dìng
话，他向珍妮丝保证，他们一定
huì zhǎo dào sāng ní
会找到桑尼。

bā kè duì zhǎng hū jiào xiè líng tōng hé dá xī
巴克队长呼叫谢灵通和达西
xī zhāng yú bǎo jī dì zǒng bù dá xī xī hé xiè
西，“章鱼堡基地总部达西西和谢
líng tōng tīng mìng bā kè duì zhǎng jiē zhe shuō dào
灵通听命。”巴克队长接着说道，
wǒ men děi xiān nòng qīng chu fēng bào dào dǐ wǎng nǎ
“我们得先弄清楚，风暴到底往哪
er qù le yīn wèi hǎi mǎ kě néng bèi shuǐ liú dài
儿去了，因为海马可能被水流带
xiàng le nà ge fāng xiàng
向了那个方向。”

xiè líng tōng hé dá xī xī jiē shòu mìng lìng
谢灵通和达西西接受命令，
lì kè kāi shǐ chá xún fēng bào de fāng xiàng hěn kuài
立刻开始查询风暴的方向。很快，
píng mù shang jiù xiǎn shì chū fēng bào de zǒu shì
屏幕上就显示出风暴的走势。

xiè líng tōng duì bā kè duì zhǎng shuō fēng bào zhèng zài yuè guò àn jiāo
谢灵通对巴克队长说：“风暴正在越过暗礁，
guā xiàng nà xiē dà kuài de yán shí
刮向那些大块的岩石。”

wǒ men xiàn zài jiù gěi nǐ fā gè dì tú dá xī xī bǔ chōng dào
“我们现在就给你发个地图。”达西西补充道。

gàn de hǎo hǎi dǐ xiǎo zòng duì bā kè duì zhǎng kuā dào
“干得好，海底小纵队！”巴克队长夸道。

bā kè duì zhǎng jià shǐ zhe dēng long yú tǐng jǐn jǐn gēn zhe fēng
巴克队长驾驶着灯笼鱼艇，紧紧跟着风
bào de fāng xiàng zuì xiān sōu suǒ de shì àn jiāo qū kě shì zhè lǐ
暴的方向。最先搜索的是暗礁区。可是，这里
bìng méi yǒu sāng ní de shēn yǐng
并没有桑尼的身影。

jǐn jiē zhe tā men kāi shǐ sōu suǒ nà xiē yán shí kě hái
紧接着，他们开始搜索那些岩石，可还
shi yì wú suǒ huò hái chà diǎn er bèi yí kuài yán shí zá zhòng
是一无所获，还差点儿被一块岩石砸中。

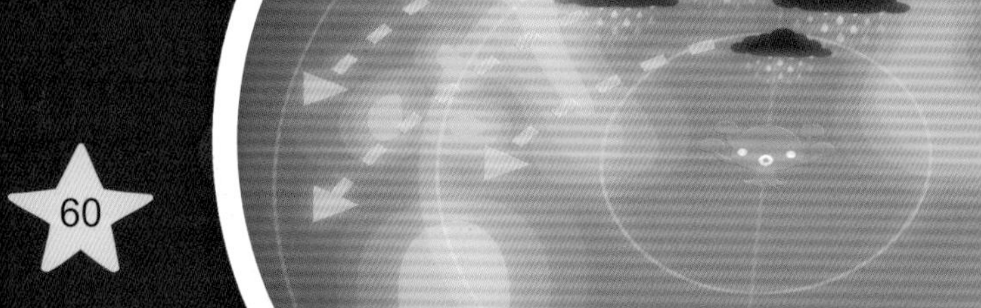

yì zhí bú jiàn sāng ní de zōng yǐng
一直不见桑尼的踪影，

zhēn nī sī yǒu diǎn er shī wàng pí yī shēng zài yì páng bù tíng de ān wèi zhe tā
珍妮丝有点儿失望，皮医生在一旁不停地安慰着她。

bā kè duì zhǎng jiāng dēng long yú tǐng kāi dào le hǎi zǎo lín biān shang tíng le xià lái jué dìng jìn qu
巴克队长将灯笼鱼艇开到了海藻林边上，停了下来，决定进去

zhǎo zhao tā men yì biān xiàng hǎi zǎo lín shēn chù yóu qù yì biān jiào sāng ní de míng zi
找找。他们一边向海藻林深处游去，一边叫桑尼的名字。

guò le yí huì er guāng xiàn jiàn jiàn míng liàng qi lai fēng bào yǐ jīng jiàn jiàn píng xī le zhè shí
过了一会儿，光线渐渐明亮起来，风暴已经渐渐平息了。这时

guā jī fā xiàn le yì zhī lǜ sè de hǎi mǎ dà jiā wéi le guò lái lìng yì zhī lán sè de hǎi mǎ yě
呱唧发现了一只绿色的海马，大家围了过来，另一只蓝色的海马也

yóu le chū lái zhè liǎng zhī hǎi mǎ zài zhǎo zhēn nī sī sāng ní mǎ shàng jiù yào shēng le
游了出来，这两只海马在找珍妮丝。桑尼马上就要生了！

两只海马赶紧带着大家向桑尼所在的地方游去，靠近桑尼后，只有皮医生跟着蓝色的海马去帮助桑尼生产，其他人就在附近等待着。珍妮丝十分焦急，过了一会儿，皮医生出来报喜了，桑尼一下子生下了八只海马宝宝。

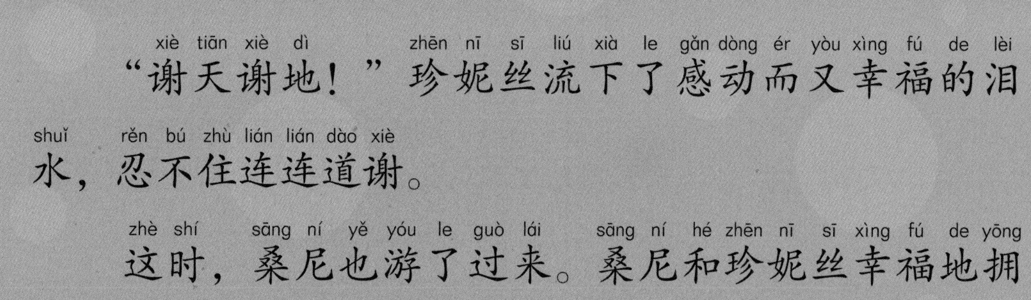

xiè tiān xiè dì zhēn nī sī liú xià le gǎn dòng ér yòu xìng fú de lèi
“谢天谢地！”珍妮丝流下了感动而又幸福的泪

shuǐ rěn bú zhù lián lián dào xiè
水，忍不住连连道谢。

zhè shí sāng ní yě yóu le guò lái sāng ní hé zhēn nī sī xìng fú de yōng
这时，桑尼也游了过来。桑尼和珍妮丝幸福地拥

bào zài le yì qǐ
抱在了一起。

pí yī shēng bō kāi hǎi cǎo bā zhī kě ài de
皮医生拨开海草，八只可爱的
xiǎo hǎi mǎ pò bù jí dài de yóu le guò lái pū xiàng
小海马迫不及待地游了过来，扑向
bà ba mā ma de huái bào
爸爸妈妈的怀抱。

zhēn nī sī bù zhī dào gāi rú hé gǎn xiè hǎi dǐ
珍妮丝不知道该如何感谢海底
xiǎo zòng duì rěn bú zhù qīn wěn le tā men měi gè rén
小纵队，忍不住亲吻了他们每个人
de tóu kuī hǎi mǎ bǎo bao men yě wéi zhe tā men zhuàn
的头盔，海马宝宝们也围着他们转
gè bù tíng
个不停。

huí dào jī dì zǒng bù dá xī xī hé xiè líng
回到基地总部，达西西和谢灵
tōng kāi shǐ xīn shǎng bā kè duì zhǎng tā men pāi hui lai de
通开始欣赏巴克队长他们拍回来的
zhào piàn shàng miàn yǒu sāng ní hé zhēn nī sī yǐ jí
照片，上面有桑尼和珍妮丝，以及
bā zhī hǎi mǎ bǎo bao
八只海马宝宝。

tā men tài kě ài le
“他们太可爱了！”
dá xī xī yì zhí dīng zhe zhào piàn dōu
达西西一直盯着照片，都
shě bu de yí kāi mù guāng
舍不得移开目光。

海底报告

欢迎进入本期海底报告，这次我们要介绍的是**海马**!

海马游泳不太好
尾巴扒着海草牢
恋爱时候变颜色
荡来荡去真逍遥
海马宝宝真是好
海马爸爸怀孕生宝宝

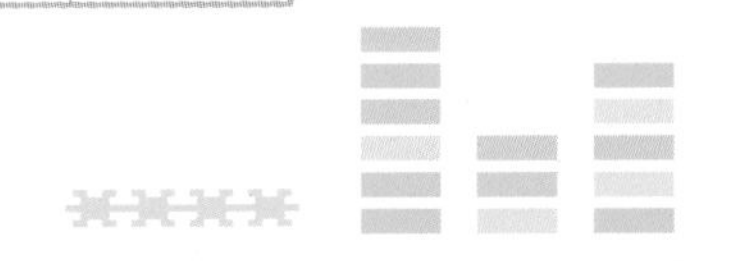

海底小纵队与小飞鱼

图书馆里，章教授正在给巴克队长、呱唧和谢灵通讲他曾祖父的探险故事。很久以前，他来到了章鱼堡如今所在的水域探险，还将旅途中的奇遇写成了书。章教授给大家念道：“这是个美妙的星夜，海面波澜不惊。突然，我看到什么东西跳出了水面，如此不可思议，这个东西就是……”

章教授念到这里停下来了，大家都好奇地等着答案揭晓，可是下一页不见了。

hǎi dǐ xiǎo zòng duì jué dìng qù fù jìn kàn kan
海底小纵队决定去附近看看，
huò xǔ néng jiē kāi mí dǐ jǐn guǎn zhāng jiào shòu yǒu
或许能揭开谜底。尽管章教授有
xiē shě bu de dàn tā hái shi jiāng zēng zǔ fù de shū
些舍不得，但他还是将曾祖父的书
jiāo gěi le xiè líng tōng xiè líng tōng jiāng shū zhuāng jìn
交给了谢灵通，谢灵通将书装进
fáng shuǐ bēi bāo li shū li de dì tú kě néng huì bāng
防水背包里，书里的地图可能会帮
dào tā men bā kè duì zhǎng jià shǐ zhe dēng long yú
到他们。巴克队长驾驶着灯笼鱼
tǐng dài zhe guā jī hé xiè líng tōng chū fā le
艇，带着呱唧和谢灵通出发了。

hěn kuài tā men jiù dào le mù biāo shuǐ yù
很快，他们就到了目标水域，
guā jī wèn xiè líng tōng yào dì tú xiǎng què rèn yí xià
呱唧问谢灵通要地图，想确认一下
fāng wèi kě xiè líng tōng yǒu xiē bú fàng xīn xiǎo
方位。可谢灵通有些不放心，小
xīn yì yì de shuō dào ǹg yào bù nǐ
心翼翼地说道："嗯……要不你
kàn de shí hou wǒ bāng nǐ ná zhe ba
看的时候，我帮你拿着吧？"

wǒ néng zì jǐ ná zhe shuō zhe guā
"我能自己拿着！"说着，呱
jī jiù qù qiǎng xiè líng tōng de bāo
唧就去抢谢灵通的包。

tū rán bā kè duì zhǎng yǒu le xīn fā xiàn tā
突然，巴克队长有了新发现，他
hǎn dào guā jī xiè líng tōng kàn zhè ge
喊道：“呱唧，谢灵通，看这个！”
xiè líng tōng xiàng wài kàn qù xīng fèn de jiào dào
谢灵通向外看去，兴奋地叫道：
xiǎo fēi yú xiǎo fēi yú sì hū shí fēn gāo xìng hái fā
“小飞鱼！”小飞鱼似乎十分高兴，还发
chū le huān kuài de shēng yīn kàn de rù shén de xiè líng tōng yì sōng shǒu
出了欢快的声音。看得入神的谢灵通一松手，
guā jī xiǎn xiē shuāi dǎo bēi bāo yě fēi chū le yú tǐng
呱唧险些摔倒，背包也飞出了鱼艇。

bú guò guā jī kě bù dān xīn dà jiào dào hòu tuì wǒ néng jiē zhù
不过呱唧可不担心，大叫道：“后退，我能接住
tā shuō huà jiān tā yǐ jīng fēi chū le tǐng wài
它！”说话间，他已经飞出了艇外。

guā jī zhèng yào zhuā zhù
呱唧正要抓住
bēi bāo de shí hou bēi bāo zhuì
背包的时候，背包坠
xià guà zài le xiǎo fēi yú de
下，挂在了小飞鱼的
wěi ba shang
尾巴上。

小飞鱼速度太快了，呱唧只能眼睁睁地看着即将抓到的包飞走了。

“那些飞鱼拿走了章教授的书！”呱唧回到灯笼鱼艇上，向巴克队长和谢灵通说明了情况，巴克队长立刻决定跟上去。他们追着小飞鱼一路行驶。

呱唧拿起望远镜看了看，发现小飞鱼就在不远处，忙对巴克队长说道：“队长，在那儿！”

队长知道方位后，对小伙伴说：“抓紧啦！”显然，他要加速了。

GUP-A

huǒ ji men wǒ men kuài zhuī shàng la tā men xiàn zài pǎo bú diào le
“伙计们，我们快追上啦！他们现在跑不掉了！”

guā jī shí fēn xīng fèn jiù zài kuài yào zhuī shàng de shí hou xiǎo fēi yú tū rán jiā sù
呱唧十分兴奋。就在快要追上的时候，小飞鱼突然加速

le xiè líng tōng yí hàn de shuō è wǒ men zhuī shàng tā men kě néng yǒu diǎn er
了，谢灵通遗憾地说：“呃……我们追上他们可能有点儿

kùn nan fēi yú xiǎng yào táo zǒu de shí hou huì tiào chū shuǐ miàn kuài sù de fēi zǒu
困难。飞鱼想要逃走的时候会跳出水面，快速地飞走！”

yǎn kàn zhe xiǎo fēi yú jiā sù le bā kè
眼看着小飞鱼加速了，巴克

duì zhǎng yě jiā kuài sù dù dēnglong yú tǐng lái
队长也加快速度，灯笼鱼艇来

dào le shuǐ miàn xiǎo fēi yú men dōu huá xiáng
到了水面。小飞鱼们都滑翔

zhe fēi zǒu le yǒu yì zhī xiǎo fēi yú de
着飞走了。有一只小飞鱼的

wěi qí zhuàng dào le yán shí shang shòu shāng
尾鳍撞到了岩石上，受伤

le hǎi dǐ xiǎo zòng duì jué dìng xiān bāng zhè wèi
了。海底小纵队决定先帮这位

xīn péng you ān fǔ hǎo xīn péng you hòu tā men
新朋友。安抚好新朋友后，他们

yào dài tā huí zhāng yú bǎo bā kè duì zhǎng xià lìng ràng guā
要带他回章鱼堡。巴克队长下令让呱

jī àn xiǎngzhāng yú jǐng bào
唧按响章鱼警报。

“海底小纵队，

去发射台！”

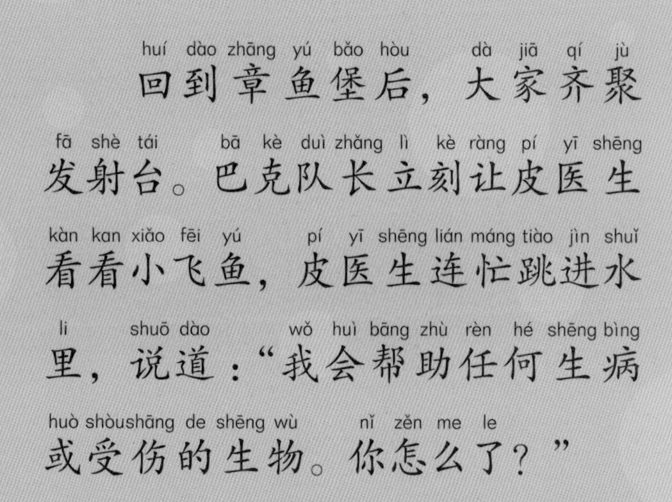

huí dào zhāng yú bǎo hòu dà jiā qí jù
回到章鱼堡后，大家齐聚
fā shè tái bā kè duì zhǎng lì kè ràng pí yī shēng
发射台。巴克队长立刻让皮医生
kàn kan xiǎo fēi yú pí yī shēng lián máng tiào jìn shuǐ
看看小飞鱼，皮医生连忙跳进水
li shuō dào wǒ huì bāng zhù rèn hé shēng bìng
里，说道：“我会帮助任何生病
huò shòushāng de shēng wù nǐ zěn me le
或受伤的生物。你怎么了？”

shì wǒ de wěi qí xiǎo fēi yú biān huí
“是我的尾鳍。”小飞鱼边回
dá biān jiāng shāng kǒu gěi pí yī
答边将伤口给皮医
shēng kàn pí yī shēng gěi xiǎo
生看。皮医生给小
fēi yú bǎng hǎo le bēng dài
飞鱼绑好了绷带，
gāo xìng de shuō dào wán hǎo
高兴地说道：“完好
rú chū bú guò xiǎo fēi
如初！”不过小飞
yú yīng gāi xiū xi yí zhèn
鱼应该休息一阵，
zài qǐ fēi
再起飞。

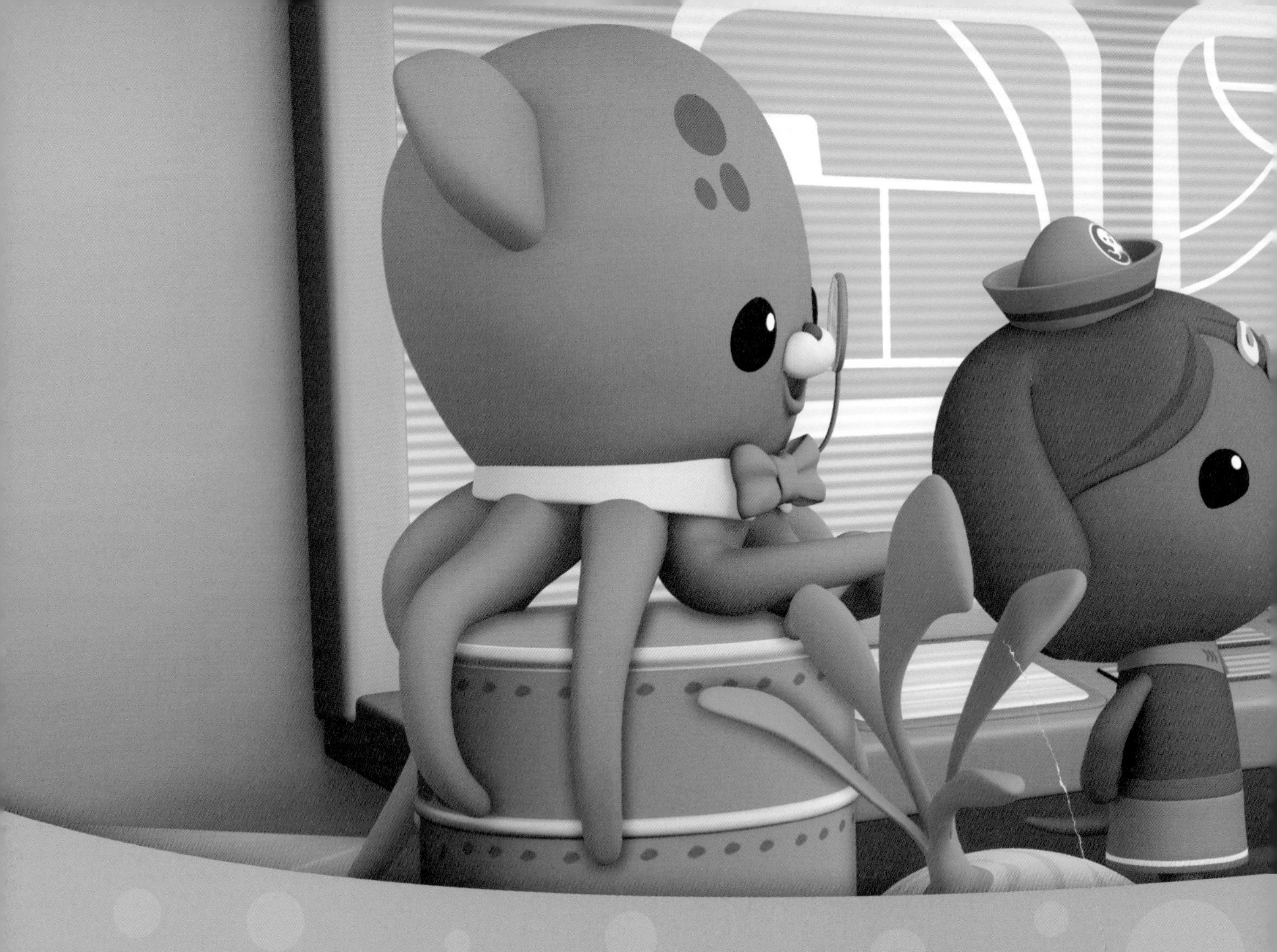

pí yī shēng chū lai xiàng bā kè duì zhǎng huì bào duì zhǎng xiǎo fēi yú yīng gāi hěn kuài jiù néng zài
皮医生出来向巴克队长汇报："队长，小飞鱼应该很快就能再
qǐ fēi la bā kè duì zhǎng zhè cái fàng xià xīn lai
起飞啦！"巴克队长这才放下心来。

zhāng jiào shòu tīng le hěn kāi xīn tā rèn wéi xiǎo fēi yú jiù shì zēng zǔ fù jiàn guò de shén qí dōng
章教授听了很开心，他认为小飞鱼就是曾祖父见过的神奇东
xi tā yào jiāng tā jiā jìn shū li shuō dào shū xiè líng tōng hé guā jī hù xiāng tuī tuō qi lai
西，他要将他加进书里。说到书，谢灵通和呱唧互相推脱起来。

nǐ gào su tā
“你告诉他！”

bù nǐ gào su tā
“不，你告诉他！”

zuì hòu hái shi guā jī gào su zhāng jiào shòu yì zhī xiǎo fēi yú dài zǒu le shū xiàn zài yào xiǎng bàn fǎ
最后还是呱唧告诉章教授一只小飞鱼带走了书。现在要想办法

jiāng shū ná huí lai bā kè duì zhǎng rèn wéi wǒ men děi xiàng tā men nà yàng tiào chū shuǐ miàn fēi qi lai
将书拿回来，巴克队长认为：“我们得像他们那样跳出水面，飞起来！”

要如何做到呢？突突兔要去请教新朋友。

章鱼堡外，小飞鱼讲解道：“你得跳出水面，必须非常非常快地往上游！”呱唧听了立刻驾驶着虎鲨艇，快速向水面冲去！完全没听见小飞鱼在喊：“等等！那只是第一步！”

突突兔见状，摇了摇头，说道："跳得高……"顿了很久，直到虎鲨艇坠到海底，突突兔才将话说完："摔得重！"可呱唧还十分得意呢，觉得自己马上就会飞了。

小飞鱼继续讲解："我张开胸鳍，就能滑翔；张开尾鳍，就可以将自己推离水面。"

xiè líng tōng yǐ jīng jiāng xiǎo fēi yú shuō de dōu jì xià le tū tū tù kàn le kàn
谢灵通已经将小飞鱼说的都记下了。突突兔看了看，
míng bai le tā xū yào wèi hǔ shā tǐng zhuāng shàng néng shēn suō de xiōng qí hé wěi qí hěn
明白了，她需要为虎鲨艇装上能伸缩的胸鳍和尾鳍！很
kuài tā de gōng zuò jiù wán chéng le dà jiā zhǔn bèi yào chū fā le
快，她的工作就完成了。大家准备要出发了。

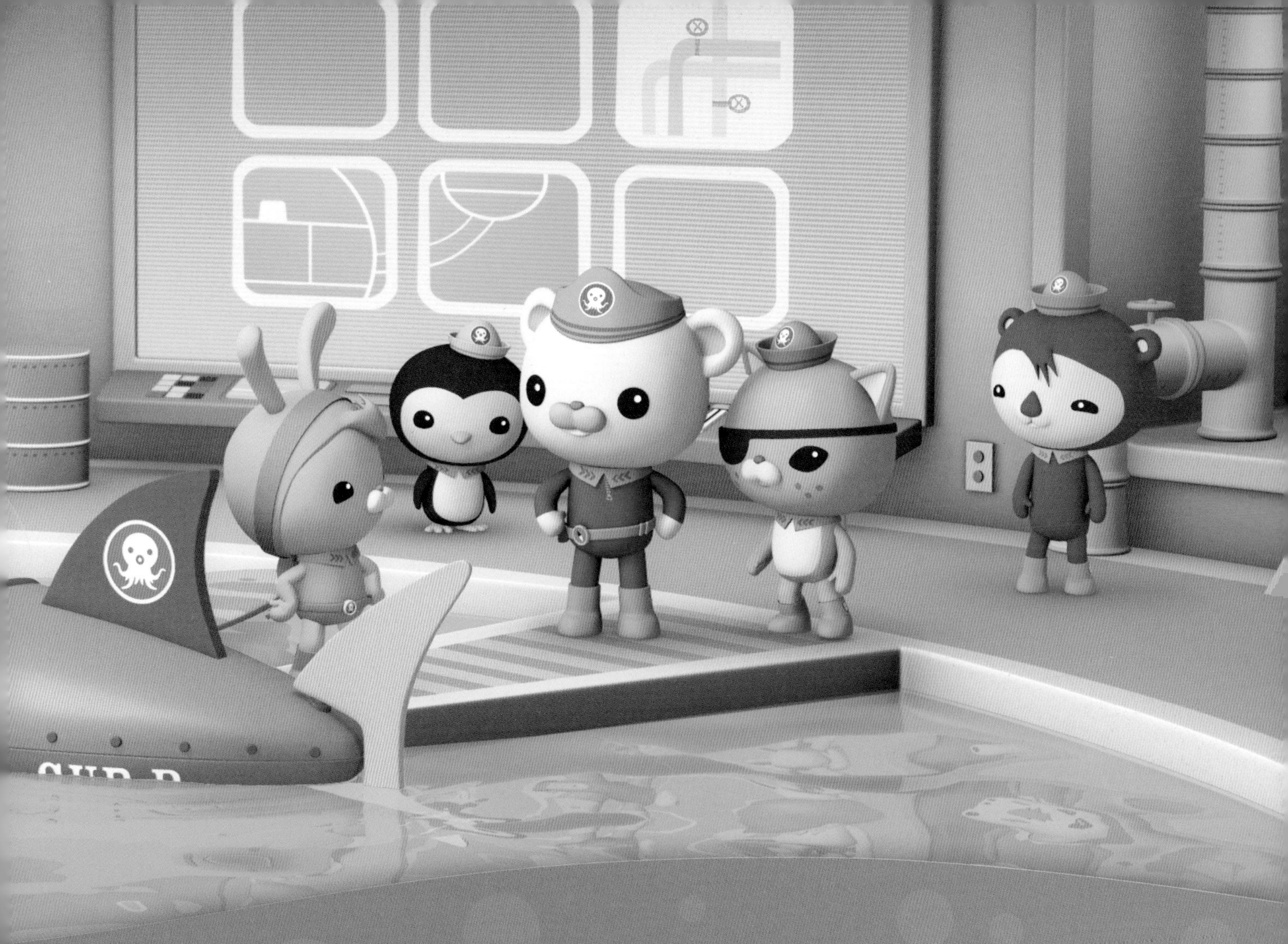

pí yī shēng gěi xiǎo fēi yú zuò le jiǎn chá xiǎo fēi yú dòng le dòng wěi qí xiàn zài
皮医生给小飞鱼做了检查。小飞鱼动了动尾鳍，现在

yǐ jīng wán quán bù téng le tā kě yǐ qǐ fēi le hǎi dǐ xiǎo zòng duì xū yào zài xiǎo fēi
已经完全不疼了，他可以起飞了。海底小纵队需要在小飞

yú de bāng zhù xià zhǎo dào tā de péng you men ná huí zhāng jiào shòu de shū xiàn zài
鱼的帮助下，找到他的朋友们，拿回章教授的书。现在，

tā men yào zhí xíng rèn wu le
他们要执行任务了。

guā jī jià shǐ zhe hǔ shā tǐng bā kè duì zhǎng
呱唧驾驶着虎鲨艇，巴克队长
jià shǐ zhe dēng long yú tǐng dài zhe xiè líng tōng hé pí
驾驶着灯笼鱼艇，带着谢灵通和皮
yī shēng yì qǐ chū fā le xiǎo fēi yú fēi kuài de
医生，一起出发了。小飞鱼飞快地
zài qián miàn yóu zhe gěi dà jiā dài lù
在前面游着，给大家带路。

hěn kuài guā jī jiù fā xiàn le yú qún
很快，呱唧就发现了鱼群，
huǒ bàn men tā men zài nà biān nà shì zhāng jiào
“伙伴们，他们在那边！那是章教
shòu de shū dà jiā jiā sù qián jìn xùn sù
授的书！”大家加速前进，迅速
zhuī shang qu
追上去。

nà qún xiǎo fēi yú fēi le qǐ lái xiàn zài dào le hǔ shā tǐng biǎo yǎn de shí hou

那群小飞鱼飞了起来，现在到了虎鲨艇表演的时候

le guā jī xīng fèn de shuō zhe huǒ bàn men kàn kan zán men shì bú shì yě néng fēi

了，呱唧兴奋地说着：“伙伴们，看看咱们是不是也能飞

la jiē xia lai bàn suí zhe guā jī xīng fèn de jiān jiào shēng hǔ shā tǐng fēi le

啦！”接下来，伴随着呱唧兴奋的尖叫声，虎鲨艇飞了

qǐ lái

起来。

zài hòu miàn kàn zhe de bā kè duì zhǎng xiè líng tōng hé pí yī shēng zhí hū tài shén qí le tài bù
在后面看着的巴克队长、谢灵通和皮医生直呼太神奇了，太不
kě sī yì le tā men jiǎn zhí bù gǎn xiāng xìn zì jǐ de yǎn jing hǔ shā tǐng zài hǎi miàn shàng kōng fēi
可思议了，他们简直不敢相信自己的眼睛，虎鲨艇在海面上空飞。
xiè líng tōng jīng jiào dào hā fēi dié hǔ shā tǐng de sù dù kě zhēn kuài guā jī yǐ jīng chāo guò
谢灵通惊叫道：“哈，飞碟！”虎鲨艇的速度可真快，呱唧已经超过
le dài lù de xiǎo fēi yú zhuī shàng le tā de huǒ bàn men
了带路的小飞鱼，追上了他的伙伴们。

wǒ kàn dào shū la guā
“我看到书啦！”呱
jī suǒ dìng mù biāo zhuī le shàng qù
唧锁定目标，追了上去。
fēi yú de sù dù yě hěn kuài guā jī
飞鱼的速度也很快，呱唧
tiào shàng le hǔ shā tǐng xiǎng ná shū
跳上了虎鲨艇，想拿书，
kě hái shi chà le nà me yì diǎn er
可还是差了那么一点儿。
zhōng yú guā jī tiào le qǐ lái ná
终于，呱唧跳了起来，拿
dào le shū gāo xìng de hǎn dào ná
到了书，高兴地喊道：“拿
dào la
到啦！”

dēng long yú tǐng shang de xiǎo huǒ bàn
灯笼鱼艇上的小伙伴
men dōu fēi cháng gāo xìng nà zhī xiǎo fēi
们都非常高兴。那只小飞
yú yě yào hé péng you men tuán jù le
鱼也要和朋友们团聚了，
guā jī lián máng xiàng xiǎo fēi yú dào xiè
呱唧连忙向小飞鱼道谢。

xiǎo fēi yú huí guò tóu dà hǎn
小飞鱼回过头，大喊
dào xiǎng shòu fēi xíng ba
道：“享受飞行吧！”

lǚ chéng jié shù le dà jiā dōu huí dào zhāng yú bǎo jù zài le tú shū guǎn li
旅程结束了，大家都回到章鱼堡，聚在了图书馆里。

zhè cì zhāng jiào shòu zhēn de yào jiē kāi mí dǐ le zhǐ tīng tā niàn dào zhè shì gè měi miào de
这次，章教授真的要揭开谜底了，只听他念道："这是个美妙的

xīng yè hǎi miàn bō lán bù jīng tū rán wǒ kàn dào shén me dōng xi tiào chū le shuǐ miàn rú cǐ bù
星夜，海面波澜不惊。突然，我看到什么东西跳出了水面，如此不

kě sī yì zhè ge dōng xi jiù shì zhāng jiào shòu fān dào xià yí yè jì xù niàn dào
可思议，这个东西就是……”章教授翻到下一页，继续念道，“……

yì qún huá lì de xiǎo fēi yú
一群华丽的小飞鱼！”

海底报告

欢迎进入本期海底报告，这次我们要介绍的是**小飞鱼**！

飞鱼能飞善滑翔
展开翅膀自由行
跳出水面空中停
尾鳍帮忙真便利
飞鱼成群是好风景
游泳迅速还会飞行

虎鲨艇功能大揭秘

以巴克队长为首的海底小纵队居住在神秘基地——章鱼堡，每当意外情况发生时，他们就要行动了。为了应对各种各样的情况，他们必须不断地改善工具，这次他们为虎鲨艇加了什么呢？

虎鲨艇

新功能1：弹射

作用：遇到紧急情况时，使用它，可以将自己从艇中弹射出去。

新功能2：飞行

加装工具：模仿小飞鱼的飞行原理，加装可灵活调整的“胸鳍”和“尾鳍”。

作用：使虎鲨艇飞起来，速度非常快，可以追上小飞鱼。

海底小纵队™

海底小纵队
饥饿的引水鱼

海底小纵队
水滴鱼兄弟

海底小纵队
海象首领

海底小纵队
迷路海星

海底小纵队
海马传说

海底小纵队
海底风暴

海底小纵队
怪兽地图

海底小纵队
饥饿的引水鱼

海底小纵队
独角鲸

海底小纵队
大王乌贼

海底小纵队
小海豚